Paula Furtado

BUÁ, EU QUERO!

Ilustrações de Carol Juste

GIRASSOL

NUMA FLORESTA TROPICAL,
VIVE UMA FAMÍLIA SEM IGUAL.
ALGUÉM TEM ALGUMA IDEIA?

**UMA FAMÍLIA
DE CENTOPEIAS!**

O PAI, SENHOR CENTOPETE,
CUIDA BEM DE SEU TOPETE.
TODOS OS DIAS SUA ROTINA REPETE,
E COM SEUS FILHOTES SE DIVERTE.

A CARINHOSA MÃE, DONA CENTENA,
FAZ TODAS AS VONTADES DE SUA PEQUENA:
A FILHA DEIA,
SUA BIRRENTA CENTOPEIA.

E O BEBÊ CENTOPELINHO

É AINDA MUITO PEQUENININHO.

SÓ FICA MAMANDO, DORMINDO

E RECEBENDO CARINHO.

DEIA É ESPERTA E FORMOSA.

MAS, COMO NADA É PERFEITO,
TAMBÉM TEM GRANDES DEFEITOS.
É TEIMOSA E INVEJOSA,
E NUNCA ESTÁ SATISFEITA.
SE NÃO CONSEGUE O QUE DESEJA,

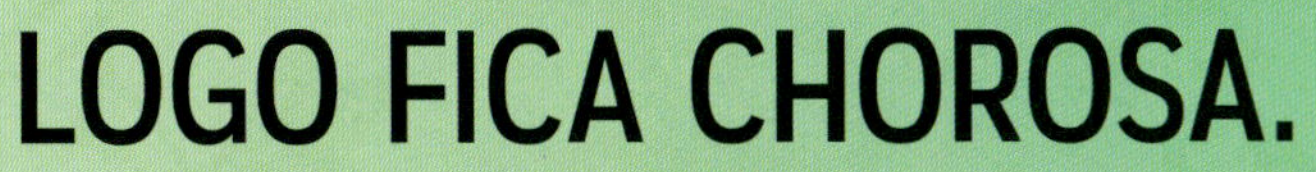

LOGO FICA CHOROSA.

CHOROSA É ELOGIO.
NA VERDADE, ELA

GRITA,

BERRA,

ESPERNEIA!

SE JOGA NO CHÃO E COLOCA
CEM PERNINHAS PARA O AR.

MUITO VAIDOSA E EXIGENTE,
QUANDO VÊ ALGO DIFERENTE,
JÁ PEDE LOGO DE PRESENTE.
E SE OS PAIS NÃO TÊM DINHEIRO,
ABRE O MAIOR BERREIRO.
COMO É DIFÍCIL DEIXÁ-LA CONTENTE!

TODA SEMANA QUER UM SAPATO NOVO COMPRAR.
O PROBLEMA É QUE NÃO É SÓ UM PAR.
SÃO NECESSÁRIOS 50 PARES PARA USAR.
SEU PAI VIVE A RECLAMAR:
– HAJA DINHEIRO...

MINHA VIDA É SÓ TRABALHAR!

DONA CENTENA ADORA MIMAR A FILHA,

FAZENDO TODAS AS SUAS VONTADES.

COMPRANDO MIL E UMA FUTILIDADES,

NÃO LEVANDO EM CONTA SUAS REAIS NECESSIDADES.

E NÃO É SÓ NAS COMPRAS QUE DEIA FAZ ESCÂNDALO.

NA HORA DE DORMIR, **TAMBÉM RECLAMA.**

NA HORA DA LIÇÃO, **FAZ MANHA.**

PARA TOMAR BANHO, **SE JOGA NA CAMA E TEM QUE SER LEVADA PARA O CHUVEIRO.**

E ACREDITEM...

PARA SAIR DO BANHO,
ABRE NOVAMENTE O BERREIRO.
É CHORO E GRITO O DIA INTEIRO!

DONA CENTENA COMEÇOU A SE TOCAR
QUE TANTOS MIMOS NÃO ESTAVAM FAZENDO BEM.
TINHA QUE AS ATITUDES MUDAR
PARA A FILHA MELHORAR.

A MÃE ESTAVA TÃO CANSADA
QUE CHAMOU A AVÓ PARA AJUDAR.

DONA CENTOLINA MORAVA NUMA ÁRVORE
UM POUCO LONGE DA FAMÍLIA.
QUANDO CHEGOU, FICOU ESPANTADA
COM A NETA BIRRENTA E MIMADA
QUE NÃO SABE VALORIZAR O QUE TEM.
E, PIOR, NÃO SABE ESPERAR POR NADA.

NUMA BRINCADEIRA
NA ESCOLA,

DEIA COMEÇOU A RECLAMAR E CHORAMINGAR.
AS AMIGAS FALARAM QUE
ELA NÃO PODIA MAIS BRINCAR,
PORQUE ERA UMA BEBEZINHA QUE
SÓ SABIA MANDAR.

DEIA VOLTOU PARA CASA CHATEADA
E FOI CONVERSAR COM DONA CENTOLINA.
A AVÓ ACONSELHOU A NETA DIZENDO QUE,
SE NÃO QUISER SER TRATADA COMO UM BEBÊ,
NÃO PODERIA CONTINUAR O QUE ESTAVA FAZENDO.

**TERIA QUE MUDAR
SEU COMPORTAMENTO.**

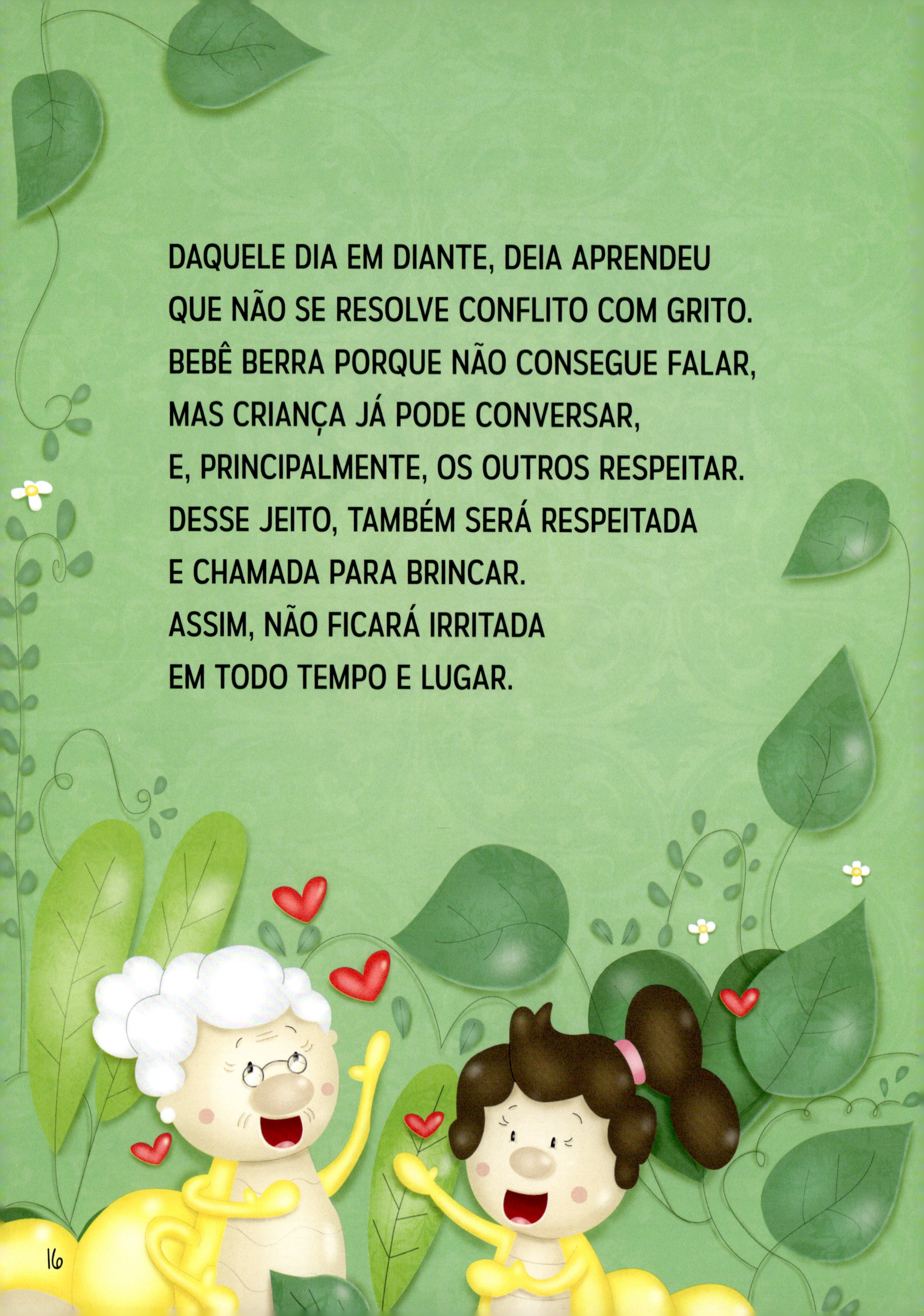

DAQUELE DIA EM DIANTE, DEIA APRENDEU
QUE NÃO SE RESOLVE CONFLITO COM GRITO.
BEBÊ BERRA PORQUE NÃO CONSEGUE FALAR,
MAS CRIANÇA JÁ PODE CONVERSAR,
E, PRINCIPALMENTE, OS OUTROS RESPEITAR.
DESSE JEITO, TAMBÉM SERÁ RESPEITADA
E CHAMADA PARA BRINCAR.
ASSIM, NÃO FICARÁ IRRITADA
EM TODO TEMPO E LUGAR.

BUÁ, EU QUERO!

Numa floresta tropical, vive uma família sem igual. Alguém tem alguma ideia? Uma família de centopeias! A filha se chama Deia, e é muito vaidosa e exigente. Quando vê algo diferente, pede logo de presente. E se os pais não têm dinheiro, abre o maior berreiro. Como é difícil deixá-la contente!

Será que Deia algum dia mudará de atitude?
Vire as páginas e descubra como
termina esta divertida história.

Dados Internacionais de Catalogação na Publicação (CIP)
Angélica Ilacqua CRB-8/7057

Furtado, Paula
Buá, eu quero! / Paula Furtado ; ilustrações de Carol Juste. -- Barueri, SP : Girassol, 2020.
16 p. : il., color.

ISBN 978-85-394-2464-1

1. Literatura infantojuvenil 2. Emoções – Literatura infantil I. Título II. Juste, Carol

19-2783 CDD-028.5

Índices para catálogo sistemático:
1. Literatura infantil 028.5

GIRASSOL BRASIL EDIÇÕES EIRELI
Al. Madeira, 162 - 17º andar - Sala 1702
Alphaville - Barueri - SP - 06454-010
leitor@girassolbrasil.com.br
www.girassolbrasil.com.br
Impresso no Brasil

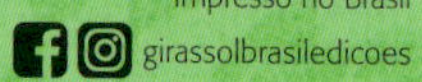

DESENROLA, TATU-BOLA

Ilustrações de Carol Juste

GIRASSOL